pie

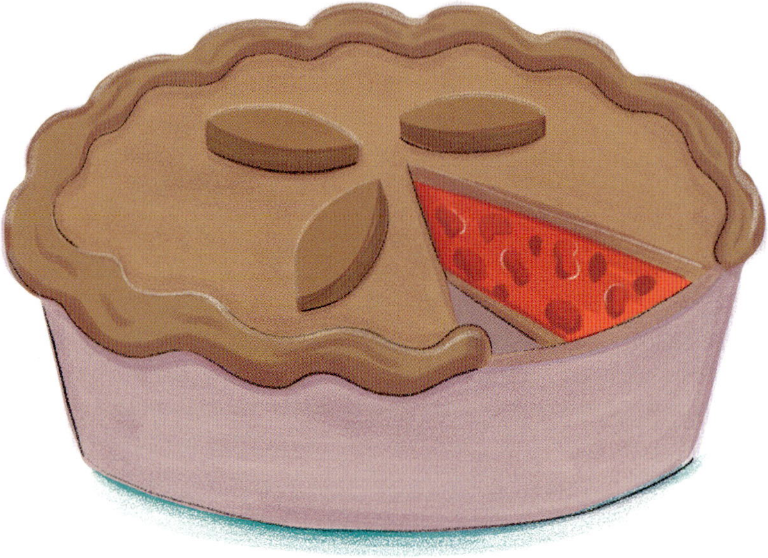

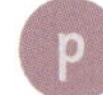
p

ie

toad

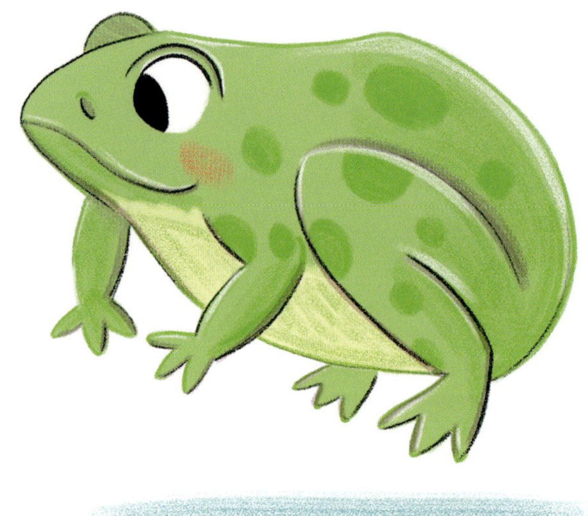

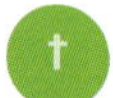
t

oa

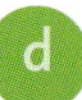
d

jet

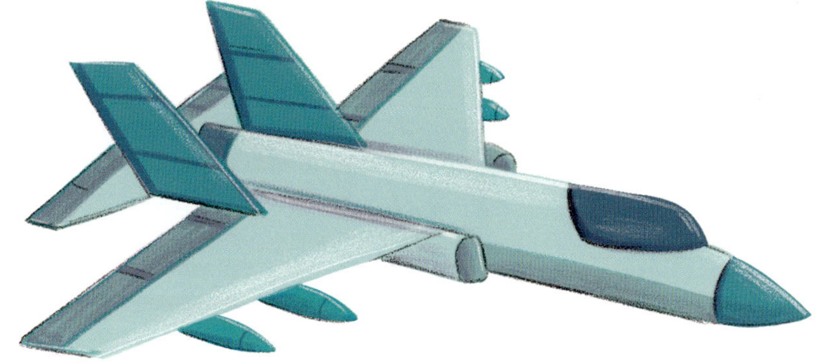

j e t

feet

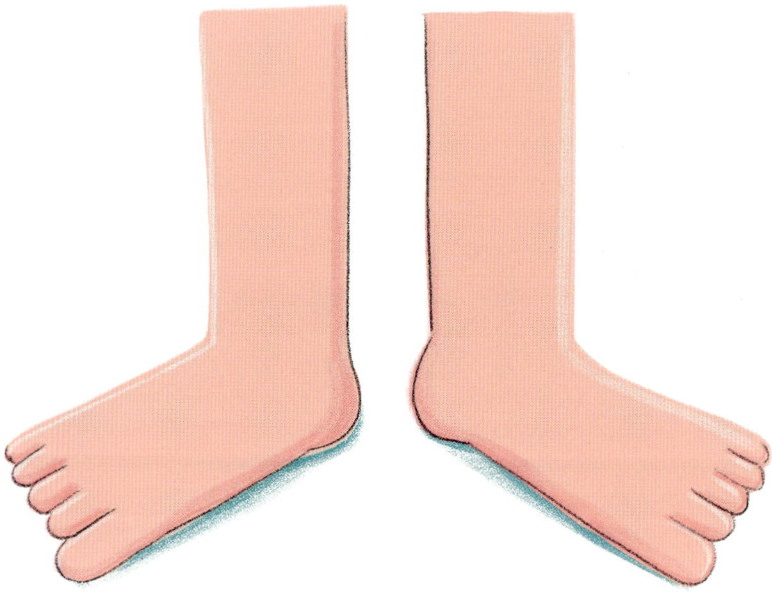

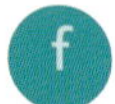
f
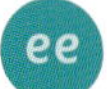
ee

t

cork

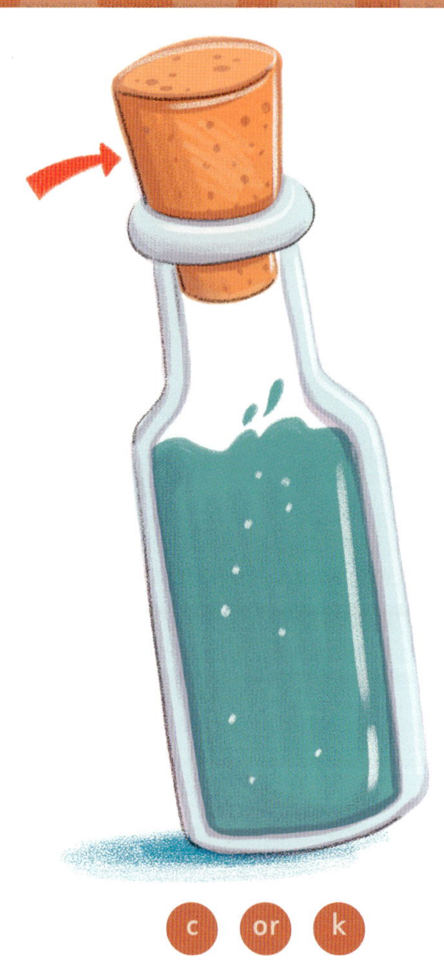
c
or
k

jeep

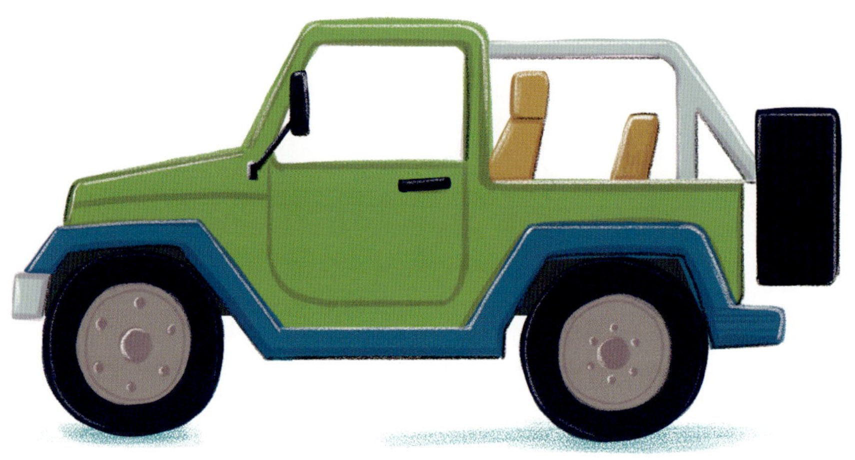

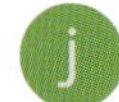
j
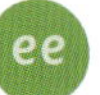
ee

p

brain

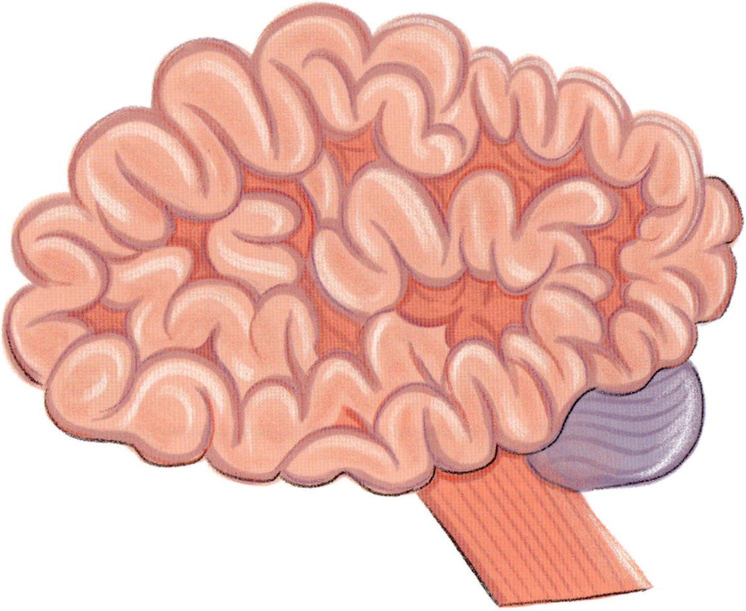

b
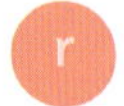
r
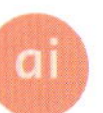
ai

n

magpie

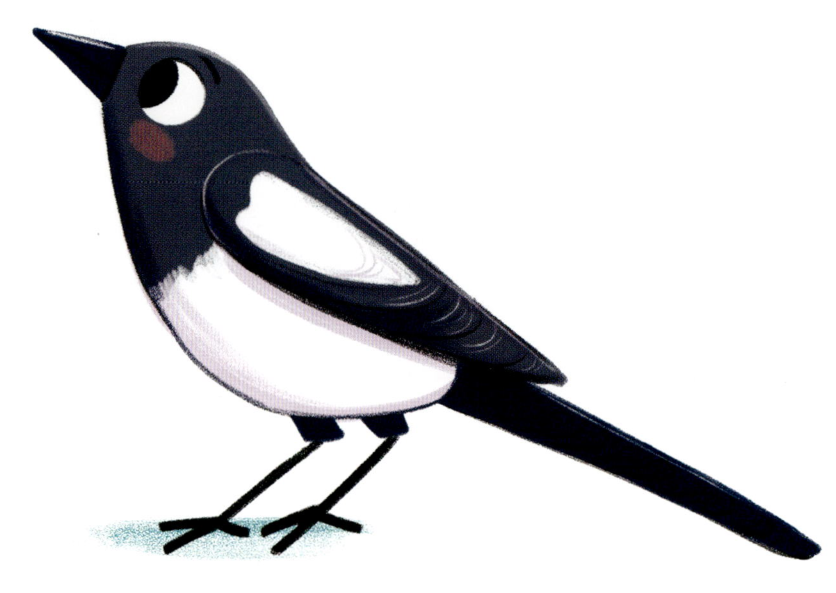

m a g p ie